Domitille de Pressensé

émilie et ses cousins

Mise en couleurs: Guimauv'

les voilà !

les voilà !
ils arrivent.

il y a alexandre.
c’est le plus grand.

nicolas qui se bagarre tout le temps...

et puis guillaume
et son câlin.

voilà sidonie !

tous sont les cousins
de stéphane
d'émilie
et d'élise.

on monte
dans la chambre
d'émilie.

c’est moi le loup !

tout le monde
se cache...

ah ! et puis
je ne veux plus jouer.

d’abord

je veux jouer
à la bagarre !

mais nous,
on veut jouer
à cache-cache.

à la bagarre !

vous allez voir...

aaah !
tiens,

tiens,

et tiens !

heureusement
stéphane est là.

tout le monde l'aide.

arrêtez !
laissez mon frère.

tant pis, nicolas,
on joue sans toi.

ça m'est égal.
d'abord
vous êtes tous bêtes.

j’en ai assez de jouer
à des jeux de bébé,
à la fin !

et puis

je suis

bien mieux

tout seul…

personne

ne m'aime.

mais si, on t'aime
quand même.
viens jouer
avec nous.

www.casterman.com

ISBN 978-2-203-01316-2 (L.10EJDN000354.C007)
Achevé d'imprimer en août 2012, en Italie par Lego.
Dépôt légal mars 2008; D 2008/0053/145
Déposé au ministère de la Justice (loi n° 49.956 du 16 juillet 1949 sur les publications destinées à la jeunesse).